Mae'r llyfr

**IDREF WEN**

hwn yn perthyn i:

_____

_____

_____

_____

# Sgarff Barti

## Hefyd gan Sally Chambers o Wasg y Dref Wen:

# Sgarff Barti

## Sally Chambers

Trosiad gan Hedd a Non ap Emlyn

## DREF WEN

Roedd Barti'n hoff iawn o'i sgarff wlân
binc a glas. Mam-gu oedd wedi'i gwau
iddo'n anrheg Nadolig ac roedd
e'n ei gwisgo hi i bob man.

Ond roedd tad Barti'n poeni. "Sut rwyt ti'n disgwyl cael gwaith cyfrif yn neidio dros y clwydi a'r sgarff yna o gwmpas dy wddf? Byddi di'n baglu drwy'r amser."

Roedd athro Barti'n poeni hefyd.
"Dw i ddim yn gallu dy glywed
di'n brefu ba-a a'r sgarff yna o
gwmpas dy geg."

Ac roedd mam Barti'n poeni.
"Mae gwisgo sgarff ganol
yr haf yn afiach," meddai.

Ond chymerodd Barti fawr o sylw. Roedd e'n
gwisgo'i sgarff drwy'r amser. Gwisgai hi i chwarae ...

... i fwyta ...

... i gael bath ...

... ac i gysgu hyd yn oed.

Roedd pawb yn poeni.

Dechreuodd pobl chwerthin am ei ben.

Ond un diwrnod, newidiodd popeth …

Roedd Barti'n gorwedd yn y cae ar ôl bod yn chwarae cuddio gyda'r defaid eraill.

Yn sydyn, clywodd sŵn brefu gwan.

Rhedodd at ymyl y clogwyn
a gwelodd oen bach ofnus
ar y gwaelod.

"Me … Me … Helpa fi,"
meddai'r oen bach.

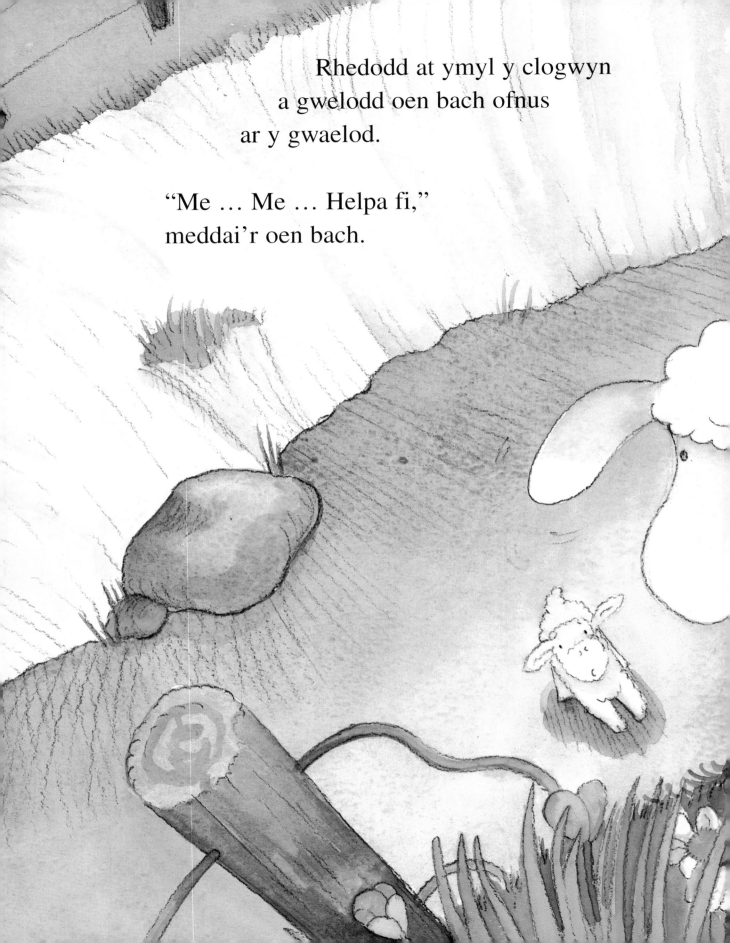

Rhedodd Barti i nôl
y defaid eraill.

Fe geision nhw achub yr
oen gyda changen.

Ond doedd e ddim yn
gallu cydio ynddi.

Gwnaethon nhw ysgol
ar gyfer yr oen bach.

Ond doedd e ddim yn
gallu dringo.

Dalion nhw'n dynn yn
ei gilydd a hongian dros
yr ymyl.

Ond roedd yr oen bach
yn rhy ofnus i symud.

Yna, cafodd Barti syniad ...

Tynnodd ei sgarff, a chlymodd gwlwm mawr
yn un pen i wneud dolen. Yna gollyngodd
y sgarff dros ymyl y clogwyn.

Dringodd yr oen bach i mewn i'r ddolen
a daliodd y defaid eraill yn dynn.
"Tynnwch!" gwaeddodd Barti.
"Tynnwch!"

Roedd pawb yn hapus iawn.

Cododd y defaid eraill Barti'n uchel yn yr awyr.

Roedd e'n arwr.

Cafodd Barti wobr gan y maer.
Roedd pawb yn teimlo'n falch ohono.
A wnaeth neb chwerthin
am ei sgarff byth eto.

Da Iawn

Ond un diwrnod, dyma Barti'n cael anrheg arall.